시선집: 한 해를 돌아보는 시선

정재운 희망찬봄이네 박예슬 이세연 송하주 정새봄 전찬호 보뽀리

엮은이 정재운

시선집: 한 해를 돌아보는 시선

발 행 | 2023년 12월 31일

저 자 | 정재운 희망찬봄이네 박예슬 이세연 송하주 정새봄 전찬호 뽀뿌리

엮은이 | 정재운

펴낸이 | 한건희

펴낸곳 | 주식회사 부크크

출판사등록 | 2014.07.15.(제2014-16호)

주 소 | 서울특별시 금천구 가산디지털1로 119 SK트윈타워 A동 305호

전 화 | 1670-8316

이메일 | info@bookk.co.kr

ISBN | 979-11-410-6271-2

www.bookk.co.kr

시선집: 한 해를 돌아보는 시선

정재운 희망찬봄이네 박예슬 이세연 송하주 정새봄 전찬호 뽀뽀리

엮은이 정재운

BOOKK

서문

2023년의 끝이 보이고 있습니다. 한 해를 돌아보게 되는 요즘, 〈한 해〉를 주제로 친애하는 시인님들과 함께 시를 공유하며 시간을 보내고 싶다는 생각이 들었습니다. 이렇게 시작된 '한 해'라는 주제의 시선집 프로젝트에 마음을 주신 여러 시인님들과 독자 여러분께 감사의 말씀을 전합니다.

이번 시선집을 준비하는 과정에서도 역시나 소중한 분들의 세상을 해치지 않고자 특별한 형식이나 정해진 분량을 제안하지 않았습니다.

이번에도 이 시선집에게 소중한 시간을 내어주신 독자 여러분들께, 부디 제 소중한 인연들의 시선에 비친 세상이 선물되기를 간절히 바랍니다.

2023년 12월,
엮은이 정재운

차례 _

첫 번째 시인, 정재운

Instagram: @writernreader_j

순간을 영원으로 간직하고자 시를 씁니다.

풋풋한 사랑의 기억과 일상의 기억을 영원으로 간직하고 싶었습니다. 그런 마음으로 사랑하는 사람과의 기억을 영원으로 담고자 애쓰고, 일상에서 가볍게 지나칠 수 있는 것들을 영원으로 담고자 애썼습니다. 부디 이 애씀이 누군가에게 소소한 위로와 작은 미소를 건넬 수 있기를, 그런 기적이 일어나기를 꿈꿔봅니다.

소박하게 매일

간지럽히는
햇살의 장난에
눈 뜬 아침

산뜻한 공기로
잠에 취한 몸을 달래고

차디 찬 냉수 한 잔에
생명을 느껴

허락된 하루 앞에
경외감을 느끼네

소박하게 매일
감사 그리고 감사

소박하게 매일
소박하게 매일

한 해의 기억들

기대감과 안온함

깨달음의 양면성
경박함의 가벼움
올곧음의 무게감

선택들의 안이함
선택들의 안일함

따뜻함의 차가움
차가움의 따뜻함

기대감과 안온함

평범함의 특별함

보통날이라
부를 수 있는 날

무탈했다고
꽤 따뜻했다고
나름 포근했다고
적당히 은은했다고
부를 수 있는 그날

이제와 돌아보니
그날은
평범함이 아닌
특별함이었네

특별한 날이었네

아메리카노

아메리카노는
제 하루를 정리해 주는
일기장 같습니다.

쓸쓸함을 느끼지도 못하고
빠르게 넘겨대던 그날,
그날의 저는
무척이나 분투했던 모양입니다.

그 향이 코끝을 간지럽혀
사랑의 마음으로 음미하던 그날,
그날의 저는
무척이나 편안했던 모양입니다.

내일의 아메리카노는
느긋이 맞이할 수 있을까요?

연말의 기도문

오늘까지도 넉넉히 지켜주신
창조주 하나님, 감사합니다.

무탈한 날들로
한 해가 온통 물들어있지는 않았지만,
보잘것없는 제 삶에
다채로운 색감의 사건들을 선물해 주시고
성장의 계단들을 놓아주심에 감사합니다.

더 사랑하지 못한 순간들,
그 순간들을 제가 잊지 않도록 도와주시고
다가오는 날들에는
은은한 사랑을 변함없이 전할 수 있도록
부족한 저를 도와주시옵소서.

행복한 사람보다
행복을 전하는 사람,
그런 사람 되게 하소서.

두 번째 시인, 희망찬봄이네

Instagram: @snailletter

살면서 끊임없이 솟아오르는 내면의 생각들을 기록하고, 기억하기 위해 글을 씁니다. 그냥 놔두면 흩어 사라지는 한순간이지만, 글로 써두면 영원한 순간이 됩니다. 내 자신이 초라해 보일 때 내가 쓴 글은 나를 위로해 줍니다. 이것 보라고, 너는 무엇이든 쓸 수 있는 사람이라고.

매일매일 꾸준히 무언가를 쓰는 사람으로 살아가고 싶습니다.

저서로 〈내사랑 느림보〉와 〈오늘도 사랑해(공저)〉가 있습니다.

적당한 거리

사람들에게 너무 벽을 쌓는 건 아닐까
하는 생각이 들 때도 있지만
때로는 그 벽이 나를 보호할 때도 있는 걸 보면
역시나 적당한 거리를 두는 게 맞는 것 같아
조금은 외로워집니다.

오늘도 적당한 거리를 두며
아슬아슬한 줄타기를 하는 모든 이들에게
'화이팅'이라고 작게 외쳐봅니다.

불청객

어느 날 불쑥, 느닷없이 너와 나 사이에
찾아온 일로 우리는 참 많이 힘들었다.
반년 넘게 마음을 졸이고 애태웠던 그 불청객을
이제는 우리의 일상으로 받아들여야 함을 깨닫고
안정을 되찾았다.

아, 같이 살아야 하는구나.

불청객은 끝까지 불청객으로 남을 수도 있겠지만
한 가지 확실한 것은
더이상은 그로 인해 흔들리거나 울지 않는다는 것이다.
내 마음은 단단하다.

계절

봄이면 흩날리는 벚꽃잎을 보며
인생의 아름다움을 생각하고

여름이면 쏟아지는 햇살을 보며
빛나는 삶의 활력을 느낀다.

가을이면 떨어지는 낙엽을 보며
자연에 순응하는 법을 배우고

겨울이면 소리 없이 내리는 눈을 보며
순백의 평온함에 대해 생각한다.

평범한 하루

다람쥐 쳇바퀴 돌 듯 반복되는 매일 매일이
축복이라는 것을
나이 오십을 바라보는 이제야 깨닫습니다.

특별한 날은 기쁠 수도, 슬플 수도 있기에
내 마음을 온전히 지킬 수 없습니다.

그날이 그날 같은 평범한 하루를 보내며
한 치 앞을 알 수 없는 인생에 머리를 숙입니다.

아무 일 없기를 바라는 마음은
평안과 감사를 바라는 마음입니다.

한 해를 보내며

올 한해는 힘들었습니다.
예상치 못한 일이 찾아와서 어찌할 바를 몰랐습니다.
울기도 하고 하나님을 원망하기도 하고
체념 속에 우울한 날을 보내기도 했습니다.
이 또한 지나가리라는 말을 수도 없이 되새겼지만
답답한 마음을 잠재울 수는 없었습니다.

혹독한 봄과 여름이 지나고
가을과 겨울을 맞이했습니다.
서늘해진 날씨만큼 제 마음도 차분해졌습니다.
힘든 고비를 넘겼다는 생각에
저물어 가는 한 해가 감사합니다.

새로운 한 해가 다가옵니다.

많은 일들이 있겠지요.

기꺼이 감당할 일도

도무지 하나님의 뜻을 알 수 없는 일도 있을 겁니다.

그 속에서 나는 또 힘들고 아프겠지만

그만큼 성장할 것을 믿습니다.

어찌할 바를 몰랐던 지난날의 나를 떠올리며

괜찮다고, 스스로를 다독일 것입니다.

세 번째 시인, 박예슬

Instagram: @phtf_study / @pys_study0805

저의 아픔들과 행복이었던 감정들을 씁니다.

저의 감정들로 인해 글을 쓰며, 다른 사람들의 공감과 위로가 된다는 것을 알고 나서 이제는 모두가 공감과 위로를 받을 수 있는 글을 씁니다.

고1이며 글을 쓴지 1년이 넘었으나, 그동안 글귀들만 적은 탓에 마음에 안드실 수 있습니다. 최대한 노력하며 쓰는 것이니 잘 봐주시길 바랍니다.

저는

저는 박쥐입니다
어느 무리에도 제대로 속하지 못하는
여기저기 떠돌아 다니는
저는 박쥐입니다

저는 우산입니다
제 사람들이 비 맞는게 싫어
대신 맞아주고 있는
저는 우산입니다

저는 단풍나무 입니다
사람들은 단풍들이 예쁘다며 힐링합니다
사람들이 저를 보며 힐링하는
저는 단풍나무 입니다

저는 눈 입니다
사람들이 눈을 보며 행복해 합나다
사람들이 저를 보며 힐링하는
저는 새하얀 눈 입니다

그림자

나는 그림자같은 존재구나
사람들 뒤에 있는 그림자처럼,
사람들이 신경 안 쓰는 그림자처럼
나의 존재는 있을까 말까

조용히 사람들의 뒤를 쫓아 가고
나의 길이 아닌 것을 알면서도 그동안 해왔던게 아까워,
계속 올라가는 나는 연하디 연한 그림자

밝은 그림자는 또 다른 그림자가 있고
밝은 그림자는 어느 순간 부터 조용히 있으며,
어두운 그림자가 밝은 그림자를 잡아먹는다.

밝은 그림자는 가짜 그림자 였으며,
어두운 그림자가 그 그림자의 진자 그림자였구나.
나의 그림자는 서서히 사라져만 간다.

몇 마디

너의 그 몇 마디에 나는 너에게 넘어갔고
몇 마디의 나는 사랑하는 사람들을 잃었다.

몇 마디 때문에 나의 사람들이 이제는
나를 완전히 돌아서버리니 믿을게 하나도 없더라

몇 마디 때문에 나는 드디어 마음을 열 수 있었고,
그 말들 하나하나가 나에게 따뜻함을 주었으니,
내가 어떻게 멀리하고 마음을 열지 않을 수 있을까?

이제는 너의 몇 마디 때문에,
또한,
나의 몇 마디 때문에

내가 사랑하는 사람들을 잃지 않을 거고,
몇 마디에 쉽게 넘어가지 않을 거고,
몇 마디에 내가 사랑하는 사람들에게 상처를 주지 않기로
다짐하기.

말 하나하나 조심하기

새벽의 위로

나에게 위로가 되어주는 것은 새벽
나에게 위로가 되어주는 것은 당신

새벽은 나만의 시간을 만들어주고,
당신은 존재 자체만으로도 위로가 되는 것을
당신은 알고 있을까요?

당신 덕분에 살아있고, 숨을 쉴 수 있다는 것을
답답 할 땐 새벽이 위로를 해주지요,
당신에게는 할 말이 없기에 새벽에게 말을 걸어요.
새벽은 저의 친구나 마찬가지더라구요.

당신은 모르는 것을 새벽이 알고있고,
새벽이 모르는 것을 당신은 알고있죠.

덕분에 숨 쉬고 있어요
덕분에 살아있어요

반갑지 않은 방문객

문뜩 들려오는 노크소리가
'똑똑똑'
누군가 하며 슬며시 문을 열면 들어와
그때 부터 날 뛰는 방문객

나가라고 좋게 말하고,
나가라고 소리도 질러보고,
나가라며 힘으로도 내보내지만
어떻게 해서든 다시 들어오는 방문객

왜 늘 예고도 없이 갑자기 찾아오는 거니
왜 늘 옉고도 업이 나의 감정을 섞어 놓는거니

나는 괜찮으니 말해주면 좋겠어

니가 이러는 이유를,
너와 함께 살아갈 수 있는 방법을 말이야.

네 번째 시인, 이세언

Instagram: @poem_1984

아이들에게 남겨줄 책 한 권을 위해 시를 남깁니다.
앞으로 살아갈 날이 많은 아이에게 지금의 제가 느끼는 삶
을 온전하게 남기고 싶습니다. 그러다 보니 오히려 제 삶에
스스로 위로를 주고 있습니다. 2023년 힘든 한 해 들풀처
럼, 갈대처럼 잘 살아 내느라 고생 하셨습니다.

눈부처

그런때가 있었다

내눈에 네가 들어오면
심장소리가 들리던때

안면홍조로 네가 왔다는걸
누구나 알던때

내 눈에 오래있게 하고싶어
막차때가 되어 달려갔을때

내 눈에 네가 참 아름다워
보였을때

네 눈에 내가 참 멋있어
보였을 때

우리의 눈에 서로가
담겨 있을 때

우리가 눈부처를 보았을때..

할머니의 시선

시골집에 내려가면
돌아오는길 제일 높은
언덕 위까지 따라오시고
그 자리에서 우둑하니
우리차가 지나갈때까지
서있던 할머니가 생각난다.

뒤돌아보며 손짓으로
들어가시라 들어가시라
차가 저만치 갔을 때
뒷창문으로 보았을때도
그 언덕위에 계셨다.

그때는 이유를 잘 몰랐다.

오늘 발 다친 아이를 부축하고
학교 정문까지 데려다 주며
건물안까지 들어가는 모습을
지켜보고 나서야 그 이유를
조금은 알 것 같았다.

낭만 지폐

한강공원, 편의점 앞, 자취방
그 안에 기억을 남기고
추억을 담아냈다.

우리는 젊음이라는 낭만 지폐로
추억을 샀고.. 우리는
그 기억으로 하나가 되곤 했다.

배고프고 모자라고 부족했던
어린 시절들은 이젠
돈으로 살 수 없는 시간으로 쌓여
켜켜이 20대를 그리고 30대를 덮었다.

움츠림

생기를 잃어간 들풀은
마치 진 것처럼 축
늘어져 있지만
그건 오해다.

한 차례 꽃도 피웠고
주변을 밝게 해주었으며
씨앗도 남겨두었다.

겨울 한 철 잘 쉬고
내년에 다시 활짝 피기
위함이다.

지금 움츠리고 있다면
마치 진 것처럼 축 늘어져
있다면 들풀을 닮아내자.

나의 갈대

생명력이 강한 이 여러해살이풀은
농부에게는 적이다. 한번 핀 곳은
다른 식물은 자라날 수 없게 만든다.
그 질긴 생명력으로 농부에겐
천대받는다.

이집트 신화에선 천국을 갈대밭으로
묘사한다. 그리스신화에서는 판의 구애를
피해 도망 다니다 갈대로 변한 시링크스로
나온다. 생김새로 누구에겐 사랑받는다.

염분에서도 잘 살아남는 갈대는 들에도
바다에서도 누구에게는 땔감으로
누구에게는 배경 사진이 된다.

인간을 갈대와 빗대어 보자면
누구에게는 비록 천대받아도
다른 누구에게는 사랑받고
끈질기게 살아남은 영웅으로도
비칠 수 있기에 지금 당장
바람이 분다 하여 생명력을 잃지 말고
꼭 나의 갈대를 붙잡고 살아내자.

다섯 번째 시인, 송하주

Instagram: @ha820ju

 2023년 한 해 많은 일들이 있었지만 나에 대해서 알아가는 시간이 되어서 행복했습니다.

마라탕

하지 마라.

방문 잠그지 마라.
교복 줄이지 마라.
머리 기르지 마라.
편식 하지 마라.
한숨 쉬지 마라.
다리 떨지 마라.
술 마시지 마라.
늦게 들어오지 마라.

내가 해봐서 아는데 그건 하지 마라.
그 기업에는 지원하지 마라.
젊을 때는 그런 거니 절망하지 마라.
포기하지 마라.

생각해보면 나는 마라탕이 유행하기도 전에 마라에 중독되어있다.

나뿐만이 아니라 많은 사람들이 나와 비슷하기에 마라탕에 열광한다.

잔소리

잔소리를 하는 사람이 있다는 것은 행복한 일이다.
나를 더 나은 방향으로 가게 하고 싶은 마음이 다듬어지지
않았을 때 잔소리라는 형태로 나에게 다가온다.

나를 사랑하는 사람들의 잔소리를 듣고.
멋진 내가 되어 간다

나에게 잔소리를 해주는 사람들과
연말에 술잔을 부딪치며 행복한 잔소리를 만들고 싶다.

얼구야

얼레벌레 벌레 같은 내 인생

얼렁뚱땅 보내 왔던 시간들

얼라같이 맹한 놈의

얼얼해진 두 눈을 바라보니

얼지 않은 살얼음판처럼 마음이 동한다.

얼쩡거리지 말고 저리 꺼져

얼마나 내가 많이 손톱을 물었는지

얼굴은 허허실실 웃으면

얼싸 않고 환영해 줄 것이라고 생각했느냐

영어

영.. 속이 안 좋은 날이 있다.
어떤 것이 나를 이렇게 만들었는지.
되짚어 본다.

또 똑같은 이유이다.
미래에 대한 두려움.

그렇다고 미래를 위해서.
치열하게 노력을 하고 있는지.
생각하면 그런 것도 아니라고 느낀다.

내일을 위해서 여러 가지를.
계속 꾸준히 하고 있으나.

나는 여전히 속이 울렁거린다.

그 이유는 그 문제를 아직 해결하지.
못 했기 때문이다.

이제부터는 문제와 눈싸움을 지지 않을 것이다.

하늘

모든 것은 찰나의 순간이 있는 것이다.

구름 위에는 산맥이 있다
위로 위로 올라갈수록 새로운 산맥이 보인다.

결국에는 까마득하게 멀어져서
지도에서 보이는 등고선처럼 감정은 무미건조해졌다.

내게 찬란하고 웅장한 산맥을 보여주던 구름 위의 세
계도 올라가면 올라갈수록 평범해진다.

너에게 주어진 구름 위의 산맥을 오르다 보면
어느샌가 당연히 산맥은 사라지고
너의 앞에 도착을 의미하는 띠가 보일 것이다.

여섯 번째 시인, 정새봄

Instagram: @saebom_poet

따분함과 지루함에 몸부림치던 날이면 조금 지쳐도 좋으니 신나는 일이 운석처럼 떨어지게 해달라고 기도했습니다. 그러다가 몸과 마음이 지쳐 주저앉던 날에는 지루해도 좋으니 평화가 호수처럼 밀려오게 해달라고 기도했습니다. 종잡을 수 없이 바뀌던 감정과 날씨를 기록하니 한 해가 되었고 시가 되었습니다.

한때의 아픈 마음도 두고두고 들어볼 수 있는 명반이 되었으면 좋겠습니다.

6월의 눈사람

부끄럼을 모르고 윤동주 시인의 시를 가르쳤고
그리움을 모르고 김소월 시인의 시를 가르쳤다
그땐 참 추웠더랜다
그땐 참 좋았더랜다

건널목에 핀 뒤늦은 봄꽃 하나가
작열하는 습도와 불안감에 시들시들 말라가고 있었다
태양빛을 머금고 샛노랗게 말라비틀어진 잎사귀와 눈이
마주친 순간
나는 6월을 앓았다

그래도 지구는 돈다는 말에 숨이 막혔다
달이 지고 해가 뜬다는 사실에 눈물이 났다
지독히도 6월을 앓았다

시에는 자고로 여백이 있어선 안 된다고
어느 여사에게 꾸중을 들었다
여백밖에 없는 나의 이름이 시로 쓰여지는 일은 없을 것
이라고
그 여름 나는 덧없이 확신했다

사진에는 자고로 눈물이 있어선 안 된다고
어느 신사에게 혼쭐이 났다
눈물로 인쇄된 나의 사진이 내걸리는 일은 없을 것이라고
그 여름 나는 더없이 확신했다

타들어간 마음이 여백과 눈물을 만들어 갈 때
나는 추웠던 나의 봄마저 부끄러워졌다, 그리워졌다.

순항하는 난파선

배멀미하는 해적은 럼주를 들이키고 지평선을 노려보았다. 다가가도 다가가도 좁혀지지 않는 지평선과의 거리에 무엇을 위해 나아가고 있었나 해적은 가물가물했다.

벌써 몇 달째 울렁거린 발이 제발 자신을 잘라달라고 울부짖고 있었다. 차라리 사막이라도 딛고 싶은 심정이었다.

오아시스에는 사실 정말 더러운 물이 고여 있대,
몇 년 전 만난 무인도에서 이런 환청을 들었다.

낡은 노를 부여잡고 하염없이 배를 저었다.
신기루같은 선착장을 하염없이 바라만 보았다.

바야흐로 신대륙 발견 전야였다.

저물어 갈 오늘

태양은 끈질기게 자신의 흔적을 남기고
하루의 흔적은 끈덕지게 하늘에 남아서
오늘 하루는 끈적하게 사라지지 않는다.

지난 수천수만 년을 굴러온 태양 마차의 흔적은
하늘에 희미하게 남아 다음 세대의 헬리오스를 안내한다,

여행자는 부족한 산소 속에서 치명적인 한숨을 내뱉고
갓 새겨진 하늘의 흉터를 바라본다.
자신의 흉터를 한 번 바라본다.
오늘이 지나고 조금 더 희미해진 하루를 바라본다.

태양이 눅진하게 구름에 눌어붙어
구름은 지나간 오늘의 색을 머금고
활공하는 비행기를 끌어안고
내일 새벽의 색과 닮은 꿈을 꾼다.

건널목

나는 눈을 감고도 그때 그 골목을 찾아낼 수 있었다.
노란 파도 빨간 파도가 일렁이던
생소한 냄새와 기묘한 노래가 가득하던
그럼에도 여태껏 바라온 무언가를 찾아냈던
처음 본 익숙한 그 골목을 지금도 그릴 수 있었다.

아지랑이처럼 일렁이는 빌딩의 불빛
스쳐 지나가는 목소리조차 모를 사람들
차분하고 선선한 지하철의 공기
그 모든 것들에 행복해서 눈물이 났다.

내내 함께 걷고 달리고 웃고 울었던 날
꽁꽁 뭉친 다리와 마음을 아무리 주물러도
무릎과 심장에 맺힌 근육은 삐걱삐걱 소리를 냈다.
그 날, 신호등이 내던 안내음과 닮은 소리를 냈다.

무언가가 영원하길 바라는 마음은
내일로 향할 우리의 짐이 될 뿐이겠지.
무언가를 헛되이 갈망하는 욕심은
오늘을 사는 우리에게 회피를 가르치겠지.

그저 언젠가
오른쪽을 보라는 말에 각자의 오른쪽을 바라봐도
함께 바라본 유리문 속에 다른 모습이 비쳐도

우리, 꼭 여기에 또 오자.
우리 꼭 이 날로 돌아오자.
우리 꼭 우리로 머물자.

노아의 회고록

잠으로 가는 길을 잃은 밤
상승하는 해수면이 스멀스멀 침대를 삼킨다.
새까만 수면 속에 되고 싶지 않은 미래가 있다.

불어버린 한숨이 작은 파도를 만들고
이내 거대한 쓰나미가 되어 방을 삼켰다.
이불로 유일한 피난처를 만들고 있는 힘껏 웅크렸다.
못난 손으로 형체없는 마음을 적어 내려갔다.

모든 것이 쓸려 내려간 후, 노아의 방주처럼
마지막으로 살아남은 어떤 마음만이
간구한다, 간절하게 기도한다.
그러나 살려달라고 애원하지는 않는다.

내 좌절이 누군가의 영웅담이 된다면,
내 불안이 누군가의 자서전이 된다면,
내 오늘이 누군가의 희망이 된다면.

그렇다면 저 새까만 바다가 두 눈까지 삼켜
새까만 세상이 당연해지는 날이 올지라도
그 속에서 빛나는 것을 찾아갈 수 있을 것이라고

그렇게 기도하는 동안 방주는 목적지에 다다랐다.
창밖으로 올리브 잎을 문 비둘기가 보였다.
언제나 갈구하던 안온함은 그렇게 찾아왔다.

일곱 번째 시인, 전찬호

Instagram: @chano.j

글을 쓸 땐 오롯이 나를 들여다보고 싶었습니다. 내 사건, 내 기억, 내 감정, 내 감각. 그리고 그것을 보고 누군가가 반응해 준다면, 그렇게 만나는 순간이 있다면 글은 계속 써 내려질 것입니다. 그렇게 하나씩 타인과 소통하는 방법을 터득해 나가고자 합니다.

꽃이 졌다.

꽃이 졌다.

그녀는 한때 잡초였다.
흔하게 자라고 많은 발들에게 밟혔다.
그래도 그녀는 살아냈다.

따스한 햇살에 줄기가 돋아났다.
그녀는 그 볕을 먹고 또 먹고
먹고 또 먹었다.
그리고 모든 뿌리를 다 하여
잡히는 흙들을 붙잡고는 절대 놓지 않았다.

그녀는 그렇게 또 살았다.

꽃이 폈다.
그녀는 뽐내고도 싶었고
추앙받고도 싶었지만
그곳은 그저 까마귀들이 사는 흙바닥.

벌이 날아왔다.
벌이 꽃에게 뭐 하나를 주고 갔더라
그녀는 그것을 온 힘을 다해 부여잡고
부여잡고 부여잡는다.

그녀에게 열매가 자라나기 시작했다.
그것은 별과 닮아있었다.
그래서 그녀는 그것을 부여잡고 놓지 않았다.
열매가 자란다. 부여잡는다.
자란다. 또 부여잡고 또 자라고 부여잡고…

열매는 어느새 꽃보다 커졌다.
꽃잎이 많이 시들어져 있었고
열매들은 그렇게 자라고 또 자라고 다른 것이 자라고
하나는 까마귀가 베어먹고 다른 것이 또 자랐다.

그녀는 더 이상 부여잡을 힘이 없다.

그녀는 더 이상 꽃이 아니다.

그녀는 억울했다. 더 이상 볕도 그녀에게 힘을 주질
않았으니…

그녀는 남은 열매 중 가장 아름다운 것을

모든 잎과 줄기로

땅에 박혀있던 뿌리로 그것을 붙잡는다.

그 열매는 분노했다.

볕도 만날 수 없었다.

다른 곳으로 굴러갈 수도 없었다.

서로 엉겨 붙은 늙은 꽃과 자라지 못한 열매

황량한 흙바닥에 기형적으로 남아있는 하나의 식물.

결국

열매는 썩는다. 썩고 썩어 죽는다.
그녀는 외면한다. 외면, 외면만이 그녀가
살아갈 방법이었을 수도…

열매는 땅속으로 사라졌고,
모든 것이 시들고 부서진 꽃은 그대로… 혼자 남았
다.

다시 따스한 햇살이 그녀를 비춘다.
볕이 왔다.

그동안 썩어져 있던 열매가 또 하나의 꽃이 되어 그녀의 곁에 피어오른다.

그리고 그 꽃도 열매를 맺는다.

그 열매는 그녀가 붙잡고 있던 열매와 닮았다.

그러나 그녀는 기억하지 못한다.

볕도, 꽃도, 열매도.

아무것도.

그저 따스함을 느낀다. 볕의 따스함 그것을 느낀다. 부여잡던 열매의 온기를 느낀다.

그저 그녀는 따스함을 느낀다.

그녀는 그 따스함과 함께 시든다.

시든다… 시들어…

그렇게

꽃이 졌다.

집

작은 집이 있다.

큰 집이 있다.

그 사이에 도로가 있다.

그것을 잇는 횡단보도가 있어

잠시 큰 집이 있는 곳으로 넘어왔다.

큰 집을 바라본다.

그 안에 사람이 살고 있다.

그 사람과 눈이 마주친다.

그 사람의 눈을 통해

내 눈이 꽤나 동그래져있다는 것을 알게 된다.

불이 꺼진다.

동그란 눈은 한참이나 그 자리에 서있다.

눈물이 흐른다.

다시 작은 집으로 간다.

집에 도착한다.

잠자리에 눕는다.

눈을 감는다.

그 시각
큰집에 있는 사람도
잠자리에 눕는다.
눈을 감는다.

자동차 소리

부르릉 털털털 자동차 소리.
저녁에 울 아빠 주차하는 소리에
급한 슬리퍼가 계단을 뛰어넘네.

제천 알싸한 공기 다 몰고 들어온 아빠.
미지근한 내 볼을 파묻어 본다.

부르릉 털털털 자동차 소리.
내가 좋아하는 로봇 출동하는 소리에
어린이는 아빠를 잊어 먹느라 정신이 없네.

밖에서 차가운 공기 다 몰고 다니는 아버지.
어린이에게는 사춘기가 더 차가웠다.

부르릉 탈탈탈 마을버스 소리.
병원 가는 길.
울 아빠도 이 길 갈 때에 이렇게 힘겨웠을까.

너무 찬 공기를 드셔서 일까 울 아빠.
요번 감기는 너무 길다.

부르릉 털털털 부르릉 털털털 아빠의 자동차 소리.

약봉지

어느

겨울

밤

노란 불빛

구토 소리

판피린

약봉지

볼펜

차 ㄴ 호 야 미 야 너 다

다시

내일.

할머니가 죽었다.

할머니가 없는 세상이 왔다.
내게는 할머니 이전과 할머니 이후가 있다.

할머니가 없는 세상은 상상을 해본 적이 없었다.
그러나 할머니의 생명을 그녀의 생경함을
제대로 느껴본 적이 있었던가?

죽음이란 무엇인가.

살아있다고 해서 만나지는 것도
죽었다고 해서 헤어지는 것도 아닌 것을

이제 이 세상을 어떻게 느끼고 살아가야 할지
그것에 대한 생각이
그녀의 죽음을 통해 시작되었다.

그것은 할머니가 나에게 준 유일한 선물이다.

여덟 번째 시인, 뽀뽀리

Instagram: @saebom_poet

세상을 온전히 바라보고 싶습니다.

내가 바라보고 있는 그것이 존재 그 자체로 바라볼 수 있기를 바랍니다. 아이처럼 맑고, 강아지처럼 맑고, 세상의 편견으로부터 맑고, 있는 모습 그대로 담아내서 맛있는 풍미를 느끼는 시 한편이 되길, 배부른 한 끼 식사가 되길, 영원히 목마르지 않는 물이 되길 소망합니다.

버리기 애매한 종이 옆에 찌그린 시

아, 버리기엔 아깝고
그렇다고 보관하자니 쓸모없는 작은 공간

그래, 내가 생명을 불어 넣어 줄게
오줌 한 바가지 찌끄려줄게

스삭스삭 하다보니 어느새
의미 있어진 이곳

하, 결국엔 버려질 너
타고 타고 타고 타서
더 의미 있는 종이가 되렴.

너무나도 부끄럽습니다

너무 초라하고
너무 수치스럽습니다.

자신을 들여다볼수록 아무것도 아닌 내가
너무 슬픕니다.

아무것도 해결할 능력이 없는
제가 막연해 웁니다.

도와주세요.

그래서 태어나자마자
우나봅니다.

빛나는 별

캄캄한 어둠 속 희미하게 빛나는
빛

실눈을 뜨고 나서야 보이는
빛

빛이 아니라고 우길 자 누구인가?
스스로 빛나는 자 누구인가?
이 빛을 어디에서 바라보고 있는가?

충분히 빛나.
흔들리며 빛나는 그 자체로 아름다워.

자, 이제 나 좀 들어 올려줄래?
당신이 있는 침대로.

諷風(풍풍)

바람이 창문에게 말한다.

안녕.

나 좀 들여보내줘.

살려줘.

아무데도 갈 곳이 없어.
제발.
지금이야!

왜왜왜왜왜왜왜왜왜왜왜왜

아직 살아있습니다

오른쪽 발을 왼쪽 발 옆에 나란히 둡니다.

천천히 하늘을 바라봅니다.

숨을 크게 마시고 내쉽니다.

햇빛 때문에 눈이 부신 건지
눈에 물이 차오릅니다.

고개가 숙여집니다.

발등 위로 물이 떨어집니다.

아직 살아있습니다.
눈이 만들어내는 물이 짜거든요.

아직 살아있습니다.
코가 만들어내는 물이 밀도 있거든요.

아직 살아있습니다.
손끝이 차갑거든요.

황금빛 물결이 흔들립니다.
그 빛이 보입니다.
나는 아직, 아직 살아있습니다.